S0-BDP-269

Mi primer libro de ballet

Título original: *My first ballet book*
Publicado por acuerdo con Kingfisher Publications plc

Los niños que aparecen en el libro son alumnos de la West London School of Dance y han sido fotografiados en la English National Ballet School.
Las fotografías de las páginas 32 y 42-45 han sido tomadas por Joshua Tuifua en el Royal Ballet, con el permiso de la dirección del Royal Ballet y de los bailarines.

Santa Perpètua, 12-14 – 08012 Barcelona
Teléfono: 93 217 00 88
www.rbalibros.com / rba-libros@rba.es

Primera edición: septiembre 2007

Realización editorial: Bonalletra Alcompás, S.L.
Compaginación: Editor Service, S.L.

Referencia: MOPA028
ISBN: 978-84-7871-917-4

Mi primer libro de ballet

Kate Castle

Directora del ballet:
Anna du Boisson

MOLINO

Índice

¿Qué es el ballet?

El ballet clásico es una forma especial de bailar en el escenario. Se practica desde hace más de 400 años, y consiste en pasos y movimientos concretos, música, escenario, maquillaje y vestuario. El ballet cuenta siempre una historia y debe llegar al espectador a través de su imaginación. Para conseguir la perfección de los movimientos se necesita mucha práctica y disciplina, pero hacer ballet es divertido y mirarlo es un espectáculo maravilloso.

En ballet, cuando dos personas bailan juntas se llama un paso a dos o dueto.

La profesora enseña a los alumnos en el estudio de ballet.

En ballet, el vestuario ayuda a crear y caracterizar personajes, como por ejemplo estos copos de nieve.

Los ensayos

Estos bailarines están ensayando una versión del ballet *El Cascanueces*, con música de Tchaikovsky. Este ballet se representa a menudo en Navidad.

Un cuento de muñecos

El cuento de *El cascanueces* narra la historia de una niña llamada Clara, que en Navidad recibe un muñeco cascanueces mágico. Con él viaja al Reino de los Dulces, donde ve muchos bailes y conoce al Hada de Azúcar.

Listos para bailar

Si quieres empezar a aprender ballet, lo primero que debes hacer es buscar una buena escuela y un profesor experto. Como tus músculos y tus huesos todavía están creciendo, es importante que te enseñen correctamente y de forma segura. Hacer ballet es una muy buena manera de hacer ejercicio, y también de hacer amigos con los que vas a bailar.

Asegúrate siempre de llegar puntual a clase, y de ir vestido con la ropa adecuada.

Deberás escuchar con atención a la profesora y bailar lo mejor que puedas.

Equipo adecuado

Compra la ropa y las zapatillas de ballet en una tienda especializada. Debes asegurarte de que las zapatillas te calzan correctamente. Puedes llevar todo el equipo en una bolsa especial para ballet.

¡Recomendación!

Revisa la lista

Recuerda todo lo que debes llevar:

- ropa para ensayar
- zapatillas de ballet
- un cepillo de pelo y un peine
- para las niñas: horquillas, pinzas y gomas, y puede que redecillas y cintas para sujetar el pelo.
- una botella de agua
- alguna fruta para tener más energía
- una libreta y un lápiz para poder escribir todo lo que vas aprendiendo.

¿Qué ropa necesitas?

La ropa para practicar ballet está diseñada para que puedas moverte con facilidad y además para que no pases calor. Las distintas piezas se amoldan al cuerpo para que el profesor pueda ver como se mueven tus brazos y piernas y pueda corregirte los errores. Algunas escuelas tienen uniformes especiales, uno para las niñas y otro para los niños.

Pelo recogido hacia atrás

Maillot

Falda para los ensayos

Medias rosas

Pelo recogido

El pelo debe estar recogido y sujeto en la parte posterior de la cabeza. De esta forma, el público puede ver perfectamente la expresión de tu cara. Es importante que el pelo no te tape los ojos.

Las niñas pueden recogerse el pelo en forma de trenzas o coletas, sujetándolas con pinzas u horquillas. También pueden hacerse un moño y para asegurarlo pueden cubrirlo con una redecilla. Si lo tienen corto, pueden usar cintas para que el pelo no les venga a la cara.

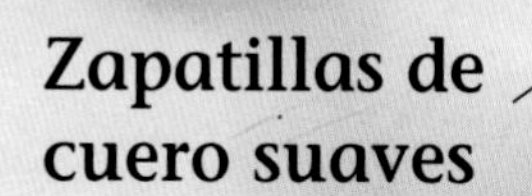

Zapatillas de cuero suaves

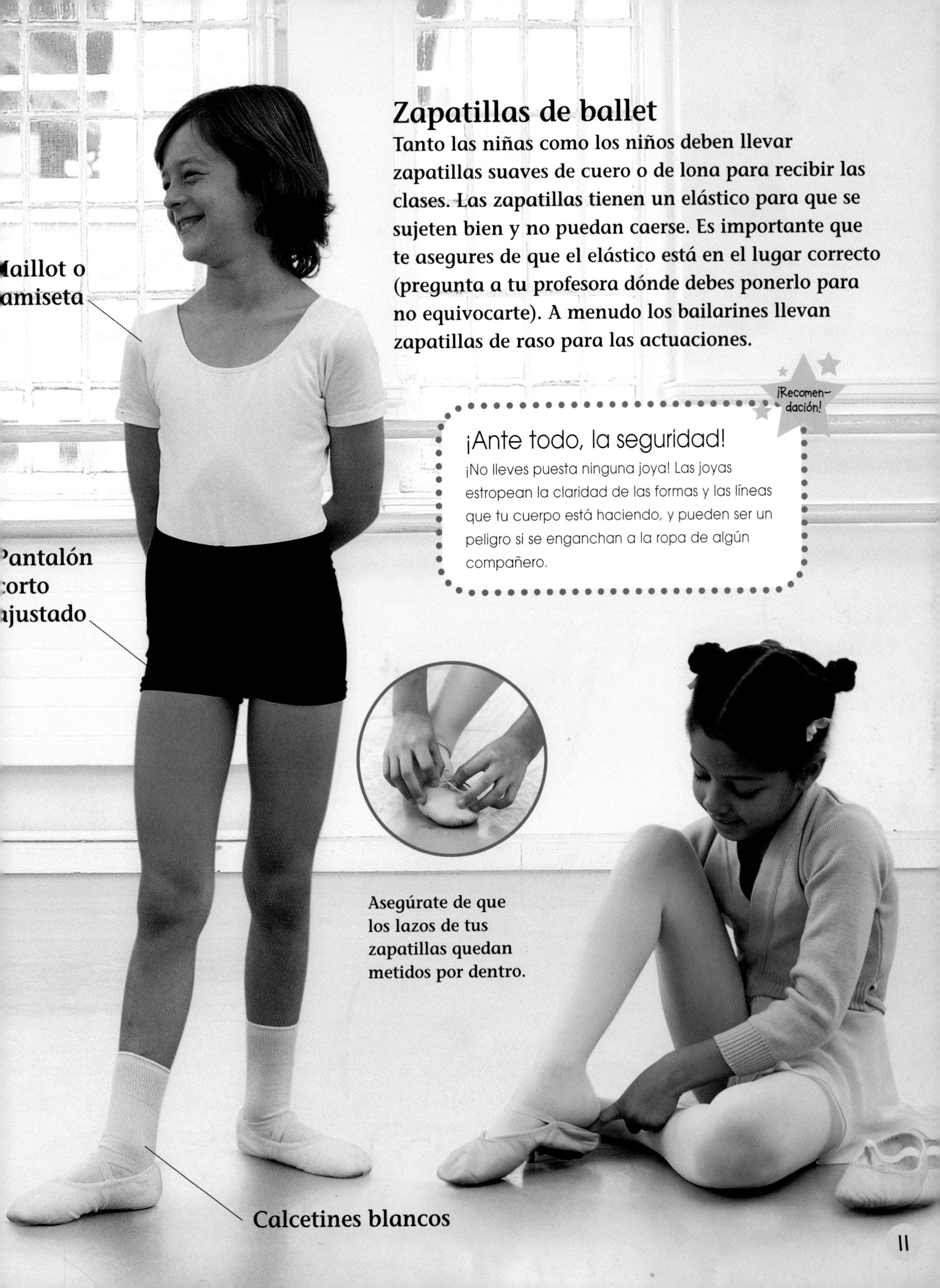

Zapatillas de ballet

Tanto las niñas como los niños deben llevar zapatillas suaves de cuero o de lona para recibir las clases. Las zapatillas tienen un elástico para que se sujeten bien y no puedan caerse. Es importante que te asegures de que el elástico está en el lugar correcto (pregunta a tu profesora dónde debes ponerlo para no equivocarte). A menudo los bailarines llevan zapatillas de raso para las actuaciones.

¡Recomen-dación!

¡Ante todo, la seguridad!

¡No lleves puesta ninguna joya! Las joyas estropean la claridad de las formas y las líneas que tu cuerpo está haciendo, y pueden ser un peligro si se enganchan a la ropa de algún compañero.

Asegúrate de que los lazos de tus zapatillas quedan metidos por dentro.

La escuela de ballet

Tanto los estudiantes de ballet como los bailarines profesionales practican en estudios como éste. En las paredes del estudio hay unas barras de madera y espejos donde puedes mirar tus posiciones y corregirlas si es necesario.

¡Recomendación!

Elige bien la clase

Cuando tengas que elegir una clase, fíjate bien en estos aspectos:

- que los alumnos se estén divirtiendo mientras dan la clase
- que la sala de la clase sea correcta y esté en orden
- que el profesor ayude a sus alumnos para que aprendan
- que al oír la música te entren ganas de bailar
- que puedas hacer actuaciones para que tus amigos y tu familia te vean actuar.

¿Cómo son las clases?

Todas las clases empiezan con un calentamiento, seguido de ejercicios en la barra. Luego, en el centro de la sala, se combinan pasos y movimientos.

barra

Este tutú lo utilizan los alumnos avanzados cuando ensayan movimientos en pareja.

Estos estudiantes están calentando antes de que comience la clase.

Tu profesor

Un profesor de ballet tiene que haber superado unas pruebas que le acrediten para dar clases. A menudo los profesores han sido bailarines profesionales de compañías de ballet.

En equipo

Entre los compañeros siempre podéis ayudaros y comentar y mirar los movimientos que hacéis en clase.

La música

Sin la música sería muy difícil bailar siguiendo el tempo, ¡y menos divertido! En algunas escuelas tienen un pianista que toca en directo en las clases y en otras usan simplemente un equipo de música.

La profesora da la bienvenida a una nueva alumna.

El suelo de la sala es especial: no debe ser demasiado duro ni resbaladizo.

Calentamiento

Todos los bailarines tienen que hacer estiramientos y calentamiento antes de empezar la clase o la actuación. Es necesario para evitar lesiones. Al final de la clase también deben hacer unos ejercicios de relajación.

En este ejercicio hay que sentarse recto y doblar y estirar las puntas de los pies para fortalecer el empeine. El empeine es una parte muy importante en danza para hacer buenos saltos y para mantenerte en puntillas.

Flexibilidad

Los alumnos de ballet aprenden a abrir sus piernas por la parte de debajo de la cadera de modo que sus rodillas se mantengan arriba y no bajen. Así consiguen levantar sus piernas más alto.

Éste es el estiramiento de Aquiles. Si lo practicas podrás saltar más alto.

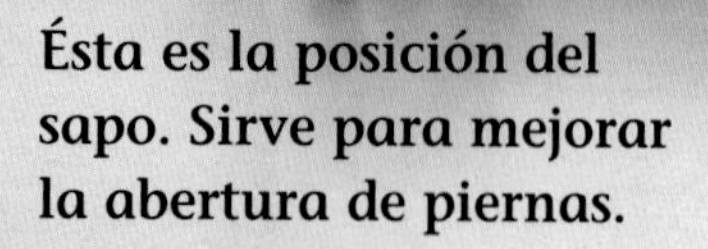

Ésta es la posición del sapo. Sirve para mejorar la abertura de piernas.

Este ejercicio es para fortalecer y aflojar los músculos internos del muslo.

En marcha

Después de los estiramientos es hora de ponernos en marcha: movernos, saltar y correr. Esto ayuda a que todo tu cuerpo fluya y funcione mejor.

Esta postura fortalece el tendón de la corva, que es el tendón de la parte de atrás de la rodilla.

Este ejercicio estira la parte de atrás del tendón de los muslos.

¡Recomendación!

Por ti mismo

Practica un poco en casa cada día. Puedes mostrar a los amigos de la escuela cómo haces el calentamiento antes de las clases.

- estiramientos hacia atrás
- estiramientos de tendones
- saltos y trotes
- «ejercicio de sapo» para mejorar la elasticidad de las ingles (sólo en ballet).

Brazos delicados
Los brazos deben estar siempre en una posición curva, elegante y limpia. Debes ponerlos en línea, ni pegados al cuerpo ni inclinados en ángulo hacia arriba.

Aquí ves cómo todos los alumnos están con los pies en la primera posición, mientras nos muestran las cinco posiciones de los brazos.

Brazos y pies

Hay cinco posiciones básicas de pies y cinco para los brazos. Entre ellos pueden combinarse de muchas maneras diferentes para conseguir distintas expresiones del cuerpo. En ballet, todos los movimientos empiezan y acaban en una de estas cinco posiciones. Las secuencias usan pasos, saltos y giros en combinaciones diferentes. Las secuencias se combinan para formar solos, duetos o composiciones en grupo y al combinarlos entre sí, se llega a crear la coreografía de un ballet.

Manos delicadas
Tus dedos deben sostenerse suavemente: ¡No deben tocarse ni estar rígidos!

¡Recomendación!

Palabras francesas

Puesto que el ballet empezó en Francia, todos los pasos tienen nombres franceses.
Estos son los movimientos básicos.

- *plier* – flexionar
- *tourner* – girar
- *sauter* – saltar
- *relever* – levantar
- *glisser* – deslizar
- *étendre* – estirar
- *élancer* – lanzar

Pies en posición

Hay cinco posiciones para los pies, las que más utilizan los bailarines son la segunda, la cuarta y la quinta.

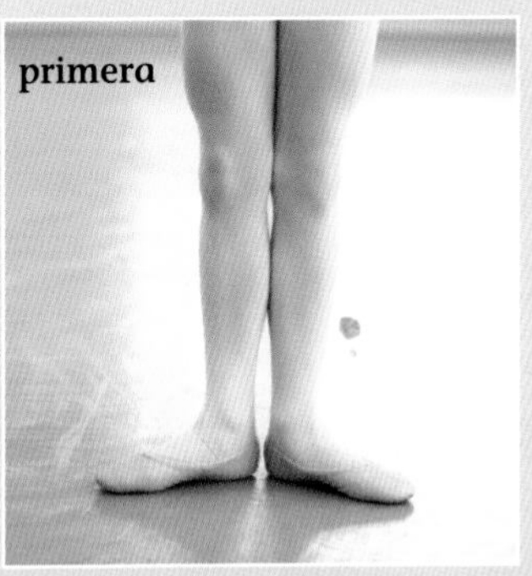

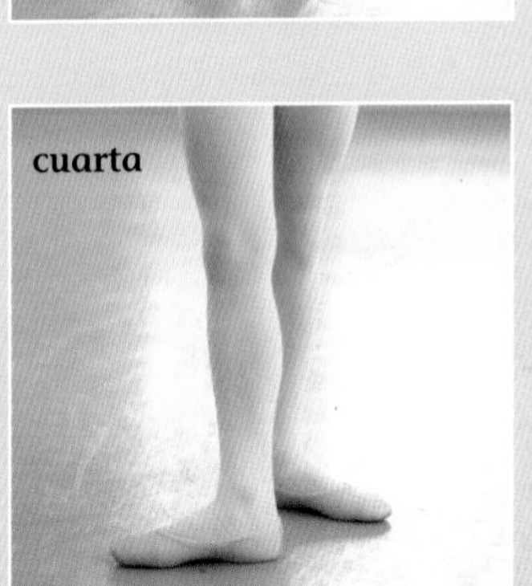

En la barra

¡La barra es tu amiga! Te sujetas en ella y te ayuda a mantener el equilibrio mientras practicas los movimientos de pies y los levantamientos de piernas. Te ayuda también a estar erguido y a mantener todas las partes del cuerpo alineadas.

Correcto e incorrecto

Hay muchas cosas de las que debes acordarte cuando estás en la barra, como por ejemplo: mantenerte erguido, aguantar la barriga hacia adentro, nivelar los hombros y posicionar los pies y los brazos de forma correcta. ¡Y no te olvides de la respiración!

No te sujetes a la barra de esta forma...

Debes sujetarte a ella con ligereza y al mismo tiempo con firmeza, como lo harías con tu pareja de baile.

Para mantenerte erguido nunca pongas los hombros de esta manera...

Debes permanecer recto: barriga hacia adentro y hombros abajo.

Mantén tu pie en punta, sin que los dedos rompan la línea.

Debes poner la punta así, con el pie firme y los dedos dirigidos hacia afuera.

¡Recomendación!

Es bueno para todos

Cualquier persona puede aprender y disfrutar con el ballet. Pero no todos los que lo aprenden quieren llegar a ser bailarines profesionales. Hacer ballet es una buena manera de mantenerse sano y en forma, de fortalecer tu cuerpo y también de desarrollar la memoria.

En la barra, *demi-plié* con los pies en primera posición y los brazos en segunda.

Barra de ejercicios

Estos alumnos están haciendo estiramientos de los pies con un movimiento llamado *battement tendue devant*. *Devant* significa hacia delante. También practican *pliés* (flexiones) y *relevés* (estiramientos).

***Relevé* de cara a la barra. Los niños levantan los talones de los pies en primera, segunda y quinta posición.**

Está para ayudarte

La profesora ayuda a perfeccionar la alineación y los movimientos, para que cuando estés en un escenario no tengas que pensar en ello.

Arabesque penchée (que significa inclinado) con los brazos en segunda posición.

Aprender y mejorar

Con el tiempo, según vayas practicando y lo vayas haciendo mejor, podrás hacer ejercicios más difíciles y sentir realmente lo que es el ballet. Los bailarines famosos también reciben clases a diario para hacer calentamientos y prácticas de movimientos durante una hora y media. Lo hacen incluso antes de los ensayos o de las actuaciones.

Arabesque

El *arabesque* es una bonita posición usada en todas las coreografías. Hay muchos tipos de *arabesque*.

Las chicas mayores hacen sus ejercicios en la barra con los pies en punta, como ésta que está haciendo un *relevé* en posición *retiré* con los brazos en quinta posición (izquierda).

Sus ejercicios de calentamiento son más difíciles, como éste que ves, que sirve para estirar el tendón de la corva (derecha).

Primer *arabesque*: fíjate en la tensión y la fortaleza de las piernas de esta bailarina.

Arabesque à terre (en el suelo). Las piernas aún no están muy trabajadas porque es una bailarina joven.

Al centro

Después de hacer los ejercicios en la barra, vamos al centro de la sala. El estudio ahora es como un escenario. Aquí haces tus ejercicios utilizando todo el espacio para que la audiencia pueda ver tus movimientos desde un ángulo mejor. Debes actuar siempre de cara al espectador.

En línea

Los ejercicios previos te ayudan a hacer mejor los movimientos y formas en el espacio. Esto se llama "línea", y se refiere a la forma en que tus brazos y piernas se relacionan para crear hermosas figuras.

Esta niña está haciendo un *arabesque* en primera posición, mirando hacia la esquina del estudio, no al frente.

¡Recomen-dación!

Paso a paso

En el centro vas a aprender:

- *port de bras* – movimiento fluido de brazos
- *adage* – movimientos suaves para equilibrios y lanzamientos
- *petit allegro* – saltos pequeños y limpios
- *grand allegro* – zancadas largas para desplazarte en el espacio

Las niñas del centro, a la derecha, están en posición *croisé*, o cruzada, mirando esquinas opuestas del estudio.

Puedes dar la espalda a la audiencia si tu posición está en línea y tiene expresión.

1 El *pas de bourrée* es un paso combinado que empieza en quinta posición de pies, seguido de un *plié* con brazos en primera posición.

2 Desliza el pie izquierdo hacia el lado, llevando tus brazos a la segunda posición. Acuérdate de mantener el pie izquierdo en punta.

3 Colócate en posición de puntillas, en *relevé*, manteniendo la barriga hacia adentro y los hombros hacia abajo.

4 Da un paso hacia el lado. *Pas* significa paso. No olvides enfocar tu mirada en la dirección de tu movimiento.

5 Cierra de nuevo con un *plié*, con la cabeza derecha. La secuencia termina estirando las rodillas.

Abre las alas

Una vez en el centro, lejos ya de la barra, ¡puedes llegar a volar! Los saltos, los giros y las zancadas en el aire hacen que ver ballet sea un magnífico espectáculo y que practicarlo sea emocionante y divertido. Practicar en la barra te da la flexibilidad y la seguridad que necesitas para poder hacer los ejercicios de mayor dificultad con fluidez.

Un salto alto en el aire se llama *elevation*. Para llegar a hacer formas como ésta la *elevation* debe hacerse con fuerza y habilidad.

Saltos pequeños y grandes

Este bailarín está practicando saltos en el estudio, con desplazamientos en *jeté* (que significa lanzar). Puedes pasarlo muy bien practicando saltos y giros desde el principio. Recuerda siempre mantener en punta tus pies mientras saltas.

1 Este salto se llama un *petit changement* o pequeño cambio. Empieza en quinta posición, saltas y caes en *demi-plié*.

¡Despega!

Para empezar prueba estos saltos pequeños, llamados *petits sautés*. Comienzan y acaban en posición *demi-plié*. Cuando saltes acuérdate de mantener en punta tus pies, la posición de los brazos correcta y el cuerpo recto.

¡Recomendación!

Arriba y abajo

Antes de hacer saltos en el aire debes practicar en el suelo. Para ello empieza por los *demi-pliés* hasta que salgan perfectos. No eches el cuerpo hacia atrás cuando saltes y asegúrate de que pones correctamente los talones en el suelo cuando caes. Trata de caer suavemente, sin desplomarte.

Observar a los bailarines más experimentados inspira y motiva a los jóvenes alumnos a hacerlo mejor.

2 Haz punta en el aire y cambia los pies de un lado a otro, llevando el pie de atrás hacia delante, y mantén siempre las puntas de tus pies estiradas.

3 Cae con suavidad, completando el cambio de pies. Si quieres, trata de hacer una secuencia con varios de estos saltos.

Giros

Ahora puedes empezar a girar haciendo algunas piruetas y zancadas por la sala. No debes olvidar todo lo que has aprendido: mantener la cabeza erguida, los brazos firmes, los hombros abajo, ¡y todo ello con una expresión sonriente!

Enfoca bien

Mientras giras, debes mantener claro el foco de giro para no perder el equilibrio. Concentra tu mirada en un punto y, cuando estés dando la vuelta, gira rápidamente la cabeza para retomar el mismo punto que has dejado.

¡Recomendación!

Formas de giros

Puedes girar:

- con zapatillas blandas
- en *pointe*
- sobre un mismo eje
- desplazándote sobre una pierna
- sujeta por tu pareja

¿Por qué no tratas de hacer un giro tú mismo? Recuerda siempre fijar tu mirada en un punto para no perder el equilibrio.

Tipos de giros

Un bailarín puede aprender muchos giros, incluyendo las piruetas, los giros *posé* y los *fouettés*. El giro más difícil es el de 32 *fouettés* seguidos (lo baila Odile en el ballet de *El lago de los cisnes*).

1 Ésta es una pirueta *en dehors* (abierta). La alumna gira sobre su pierna en posición *retiré*.

2 Los giros requieren mucha precisión. Durante el giro, la pierna debe estar en perfecto ángulo abierto, mientras la rodilla se mantiene firme hacia el lado.

Esta bailarina está en tercera posición de brazos y cuarta de pies, preparando el impulso para un giro rápido o una pirueta.

Esta bailarina está haciendo una serie de giros *posé*. Algunos solos de ballet terminan con series de giros con desplazamiento muy rápidos sobre el escenario.

Bailar juntos

En todas las coreografías de ballet se combinan solos, duetos y conjuntos. En un solo baila únicamente un bailarín, en un dueto o *pas de deux* actúan dos bailarines juntos. Los grupos mayores se conocen como cuerpo de baile.

En pareja

Bailar en pareja requiere habilidad. Debes recordar bien los pasos mientras bailas y coordinarlos con los de tu pareja siguiendo la música. Cuando bailas con un compañero debes mostrarte feliz y mantener siempre el contacto de los ojos.

Mantén derecha la cabeza mientras bailas con tu pareja. ¡Recuerda que en los saltos debes mantener las puntas estiradas!

Esta elevación, llamada *pressage*, es una de las más difíciles del ballet y requiere mucha fuerza.

¡Recomendación!

Bailar en grupo

- *solo*
  - baile en solitario
- *pas de deux*
  - baile para dos
- *pas de trois*
  - baile para tres
- *pas de quatre*
  - baile para cuatro
- *corps de ballet*
  - grupo mayor

Recuerda que debes mantener las puntas estiradas, la barriga hacia adentro, la posición correcta de brazos y piernas... ¡y la sonrisa!

Manteneos juntas

Cuando bailes este *pas de trois* -paso a tres- mira siempre a la compañera que está a tu lado y trata de ir acompasada y en línea con ella.

Este *pas de deux* lo bailan alumnos más avanzados. Utilizan los dedos para fijar las líneas y las curvas que trazan con sus cuerpos en el espacio.

Sobre los dedos de tus pies

Bailar en puntas –es decir, sobre las puntas de los dedos de los pies– es algo con lo que sueñan todas las jóvenes bailarinas. En esta posición los giros son más rápidos y elegantes, y hace que las piernas se alarguen de manera que las posiciones ganen exquisitez. Además, al elevarte del suelo, ganas ligereza.

¡Recomendación!

Necesitas seguridad

Podrás bailar en puntas sólo cuando:

- tus piernas y pies sean lo suficientemente fuertes y hábiles
- tus músculos abdominales estén suficientemente trabajados
- vayas a clase de ballet un mínimo de tres días a la semana
- seas suficientemente mayor (11 o 12 años)
- tu profesora diga que puedes hacerlo

Mucha fuerza

Para poder bailar en puntas debes practicar mucho para tener los músculos abdominales y las piernas muy fuertes.

Las zapatillas de punta son unas zapatillas especiales, que tienen en el extremo un taco hecho de un material formado de capas encoladas y fusionadas a temperatura alta. La punta se acaba en una pequeña superficie plana para que puedas mantener el equilibrio sobre ella.

Sólo las niñas

Sólo las bailarinas pueden bailar en puntas. Ellas hacen los mismos ejercicios que aprenden las alumnas más pequeñas, como los *relevés*, y los *arabesques*, pero *en pointe*.

Si lo haces correctamente las zapatillas de punta no tienen por qué lastimarte los pies.

Las zapatillas de punta deben estar siempre impecables. Una bailarina profesional puede llegar a usar unos 10 pares de zapatillas al mes.

Es hora de bailar

¡Ahora viene lo divertido! Ya has aprendido los pasos suficientes para dar magia a tus movimientos. Con la música, el vestuario y tus movimientos coordinados estás lista para hacer ballet. Ha llegado el día de pasar del estudio al escenario. Cambia tu ropa de clase por un hermoso vestido y péinate, cálzate las zapatillas de raso y... ¡prepárate para bailar!

Para llegar a ser la estrella del ballet –la bailarina que tiene el papel principal– se necesitan muchos años de práctica.

Trabajo en equipo

Los bailarines de ballet saben que forman parte de un equipo. Los profesores, coreógrafos, músicos, escenógrafos y el resto de personas entre bastidores son tan importantes como los bailarines. Son los que hacen el trabajo detrás del telón.

Incluso si llegas a ser una estrella de ballet, recuerda siempre que necesitas a todo el equipo para bailar.

Tutús

Los vestidos de bailarina se llaman tutús. Están hechos con capas de gasa almidonada cosidas a un maillot y decorados con perlas, cintas, flores, plumas o bisutería. Hay que tener habilidad y un gran sentido estético para diseñar y confeccionar los tutús.

¡Recomendación!

Tu ballet

Primero debes elegir la historia. Luego, encontrar la música adecuada y crear los pasos, es decir la coreografía. Diseñar la escenografía, el vestuario y el maquillaje. Puedes hacer carteles para promocionar tu ballet, vender entradas y preparar un programa de mano.

La música sirve para crear la atmósfera, sugerir sensaciones y evocar imágenes a quien la escucha. La música te da ideas para crear los pasos y movimientos de tu coreografía.

En esta clase han decidido hacer un ballet sobre *Alicia en el País de las Maravillas*.

Hagamos un ballet

Casi todas las escuelas de ballet organizan actuaciones para que sus alumnos puedan mostrar sus progresos a amigos y familiares. El público admirará tu destreza, pero ante todo debes ser capaz de transmitirles sentimientos, de hacer que se sientan tristes o felices y de transmitirles lo mejor que puedas la historia que estás interpretando. Puedes crear coreografías tú mismo, con tus amigos, en casa o en el estudio de danza.

1 Invéntate pasos y personajes para escenificar la historia que has elegido, como este conejo saltarín, que interpreta al Conejo Blanco de *Alicia en el País de las Maravillas*.

2 Diseña el vestuario y los complementos que necesites. Los trajes deben ayudar a definir al personaje, pero ante todo deben ser cómodos para bailar.

3 Da los últimos retoques al vestuario. Para dibujar la nariz y los bigotes del Conejo Blanco han utilizado maquillaje y pinturas.

4 Escenifica tu coreografía en clase. Aquí Alicia encuentra al Conejo Blanco. ¿Qué te están queriendo decir con sus movimientos?

Del estudio al escenario

Este estudio está preparando la puesta en escena del famoso y conocido cuento de *Peter Pan*. La profesora ha elegido la música, ha distribuido los personajes y ha preparado la coreografía. Ahora hay que empezar a ensayar.

Los niños de la izquierda interpretarán los personajes de John, Michael y Wendy, los niños que vuelan al País de Nunca Jamás con Peter Pan.

Los alumnos aprenden las secuencias que van a bailar en la producción.

El pianista está presente en los ensayos y ayuda a los bailarines a practicar sus pasos.

Peter Pan y Campanilla están ensayando sus papeles. Puedes ver cómo Campanilla está enfadada con Peter Pan por la expresión de su cara.

Estos alumnos están calentando mientras los otros ensayan. Una de las cosas más divertidas mientras estás en una producción es conocer a bailarines de otras clases.

Atrezzo

Los objetos que acompañan a los bailarines en la escena se llaman atrezzo. Como el oso de peluche y la espada que usan en estas escenas.

La profesora ayuda y enseña a sus alumnos hasta que los pasos salen perfectos.

La perfección se consigue practicando

Una vez aprendidos los pasos, los bailarines ensayan muchas veces en el estudio y en el escenario antes de presentar su ballet al público. Es necesario que recuerden muy bien los pasos y que los bailen con precisión, expresión y energía.

1 Los trajes están limpios. Es hora de probarlos y asegurarse de que todos los cierres y botones están bien cosidos.

2 Los solistas recogen sus trajes antes de la actuación.

Listos para actuar

Éste es el último ensayo antes de la representación. Este ensayo se hace en el escenario y con el vestuario. Se llama ensayo general. Si todo sale bien, el espectáculo está listo para representarse ante el público. Los bailarines se preparan y calientan entre bastidores, y finalmente... ¡arriba el telón! Es normal que sobre el escenario estés un poco nervioso.

3 El camerino está detrás del escenario. Ahora es importante recoger y sujetarse bien el pelo.

4 Tendrás que maquillarte para que los fuertes focos que iluminan el escenario no hagan que se te vea muy pálido.

La representación

Peter Pan baila con Campanilla, mientras John, Michael y Wendy los miran. Cada uno lleva su traje y realizan unas posiciones que recuerdan a su personaje.

¡Recomendación!

Palabras propias del teatro

- escenario – lugar donde se representa el ballet
- entre bastidores – donde se preparan los bailarines, y donde se guarda el vestuario y la escenografía
- telón – cortinas que ocultan el escenario
- cajas – por donde entran y salen los personajes a escena

Coreografías de ballet

Hay muchísimos ballets con los que puedes disfrutar. Algunos están basados en mágicas historias de hadas y duendes, otras en cuentos u obras de teatro. En todos ellos el escenario se llena de movimientos, color y música para deleitar a los espectadores en los teatros del mundo entero. También se pueden ver en la televisión o en DVD, donde puedes apreciar igual o mejor los movimientos de los bailarines profesionales.

El Pájaro de Fuego

Margot Fonteyn interpreta el papel del Pájaro de Fuego, en un ballet basado en un cuento de hadas ruso.

Danza musical

No todos los ballets cuentan historias. *Elite Syncopations* utiliza un vestuario vistoso y colorido y música *ragtime* de Scout Joplin para sugerir toda clase de ambientes, por ejemplo este divertido dueto para un bailarín alto y otro bajo.

Disfrutarás mucho más de un ballet si antes de verlo lees la historia y escuchas parte de la música.

Giselle

Este ballet contemporáneo narra la historia de una chica que se enamora de un príncipe disfrazado.

El Cascanueces

El príncipe baila un *pas de deux* con el Hada de Azúcar.

La Bella Durmiente

Personajes del cuento de hadas bailan en la boda de la Princesa Aurora.

El Lago de los Cisnes

Odile, el cisne negro, quiere convertirse en el verdadero amor de Odette, el cisne blanco.

El Sueño

Este ballet está basado en una obra de teatro de Shakespeare, *El sueño de una noche de verano*. Unos seres fantásticos se reúnen para realizar sus hechizos.

Antes de la actuación

La jornada de un bailarín empieza en la clase y termina con la representación. Entre medias hay ensayos, pruebas de vestuario y, para los bailarines principales, nuevos montajes. En una compañía de ballet todo el mundo es importante e imprescindible para que la actuación salga lo mejor posible.

Las bailarinas ensayan en el estudio con los tutús de prácticas y las chaquetas cruzadas.

Hay que cuidarse

Todos los bailarines aprenden a cuidarse, a comer sano y a descansar lo suficiente. Deben ser disciplinados y organizados, y asegurarse de llegar puntualmente a las clases.

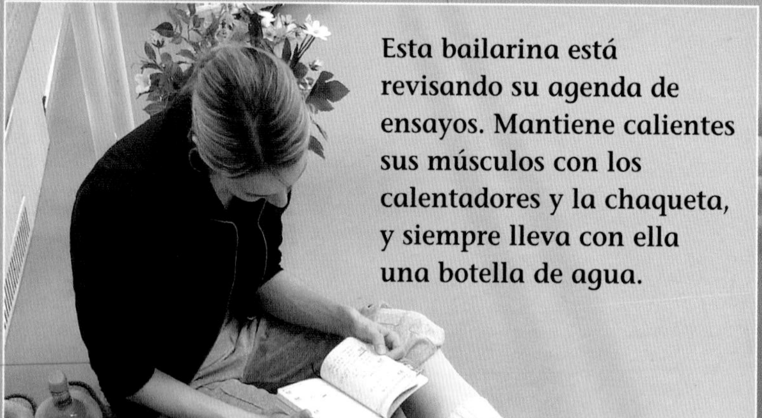

Esta bailarina está revisando su agenda de ensayos. Mantiene calientes sus músculos con los calentadores y la chaqueta, y siempre lleva con ella una botella de agua.

Esta bailarina lleva calentadores en las piernas porque tiene una pequeña lesión en el músculo y debe cuidarse.

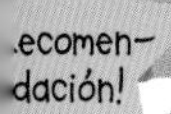

Trabaja duro

La danza exige tanto esfuerzo como cualquier otro deporte. Las lesiones de los bailarines se tratan con fisioterapia o masajes.

Normalmente los bailarines se maquillan ellos mismos. Sólo cuando los personajes requieren una caracterización más elaborada, y el maquillaje forma parte del vestuario, es necesaria la presencia de un maquillador o maquilladora profesional.

Mientras las bailarinas hacen un *battement tendue devant*, sus brazos se mantienen en cuarta posición.

En los ensayos las bailarinas prueban sus zapatillas de punta nuevas. Hay que probarlas para que cedan y se amolden bien al pie. De esta forma conseguirán bailar más cómodas el día de la representación y evitarán que hagan ruido.

El equipo encargado del vestuario cuida y repara los trajes después de la representación. Cada bailarín es responsable de su traje y debe cuidarlo y devolverlo limpio y en las mismas condiciones.

En el ballet

Finalmente –después de todos los preparativos– llega la hora de que empiece el ballet. Todo se funde en el escenario: bailarines, música, escenografía y vestuario. Así que, toma asiento, mira, escucha y disponte a disfrutar de este mágico espectáculo de ballet. ¡Arriba el telón!

¡Recomendación!

Disfruta del ballet

Mientras miras, ve haciéndote preguntas:
¿Qué papel me gustaría hacer?
¿Conozco el nombre de alguno de los pasos que hacen?
¿La música ayuda a entender mejor la historia?
¿Qué pasos ha elegido el coreógrafo?
¿Qué me hace sentir: tristeza, alegría, enfado...?

La Bella Durmiente

En esta escena, el hada Lilac hiere a la pequeña princesa Aurora durante su bautizo. Observa como las líneas y las formas que se representan llevan al espectador a fijarse en los personajes más importantes del grupo: el hada Lilac y la princesa Aurora.

Antes de la representación los músicos se sientan en el foso de la orquesta y el público toma asiento. ¡El ballet puede empezar!

Durante la representación, los bailarines esperan su turno y miran un *pas de deux* entre bastidores. El público ve a los actores desde un ángulo diferente.

Cuando termina la representación, los bailarines salen al escenario, saludan y dan las gracias a los espectadores por sus aplausos.

¡Gracias!

En los programas de mano viene resumida la historia del ballet y se presenta brevemente a los bailarines. A menudo el público envía flores a las estrellas principales para agradecerles su esfuerzo y mostrarles su admiración.

Glosario

Adage (a-dásh)
Pasos y movimientos suaves y sostenidos que fluyen de uno a otro.

Alignement (a-li-ñe-món)
Es la relación entre las distintas partes del cuerpo para formar líneas o curvas.

Arabesque (a-ra-bésk)
Posición en la que el bailarín hace un equilibrio sobre una pierna y gira sobre su propio eje.

Barra
Una barra de madera, fijada en la pared del estudio de danza. Los bailarines la usan para mantener el equilibrio mientras practican los ejercicios básicos.

Coreógrafo
La persona que tiene la idea para hacer un ballet y crea y combina los pasos y figuras para que se represente.

Cuerpo de baile
(cor de ba-lé)
Bailarines que actúan en grupo y no bailan nunca solos ni interpretan papeles principales.

Echaînements
(on-cha-ne-món)
Una serie de pasos encadenados, como si fueran palabras que, combinadas, forman una frase.

En dehors (on de-or)
Hacia afuera respecto de la pierna que nos sostiene.

En pointe (an puánt)
(en punta)
Bailar sobre las puntas de los dedos de los pies, con unas zapatillas rígidas especiales.

Étendre (e-tón-dr)
Estirar.

Fouetté (fue-té)
Giro en el que la pierna levantada hace un movimiento seco y circular hacia fuera desde la pierna que nos sostiene.

Glisser (gli-sé)
Deslizarse.

Grand allegro
(gran a-lé-gro)
Una zancada larga con desplazamiento.

Grand jeté (gran je-té)
Una gran zancada con piernas y brazos estirados.

Tendón de la corva
Un tendón de la parte de atrás de la rodilla.

Línea
Las formas exquisitas que crean los cuerpos de los bailarines en el espacio.

Foso de la orquesta
Donde los músicos se sientan para tocar y el director se coloca para dirigirlos durante la representación.

Pas de bourrée
(pa de bu-ré)
Una serie de pasos pequeños combinados y con desplazamiento.

Pas de deux
(pa de dé)
Un baile para dos bailarines.

Pas de trois
(pa de truá)
Un baile para tres bailarines.

Petit allegro
(peti a-lé-gro)
Pequeños saltos y pasos con desplazamiento encadenados.

Plié (pli-é)
Uno de los movimientos básicos del ballet. Las rodillas giran y se abren hacia los lados.

Atrezzo (a-trét-so)
Objetos que usan los bailarines en el escenario y que se guardan entre bastidores durante la actuación.

Ensayo
Sesión de práctica antes de la representación.

Relevé (re-le-vé)
Alzarse hacia arriba apoyándose sobre la parte delantera de la planta del pie.

Role (rol)
La parte o el personaje que interpretas en un ballet.

Sauter (so-té)
Saltar.

Solo
Un baile para un único bailarín o bailarina.

Estudio
El espacio en el que aprendes a bailar, donde recibes tus clases y ensayas.

Giro hacia fuera
La forma en que la pierna gira desde la parte baja de la cadera, de manera que la rodilla queda abierta hacia el lado.

Tutú
El traje de bailarina, hecho de varias capas de gasa rígida, fruncidas y cosidas sobre el maillot. Los tutús pueden ser cortos (clásico) o largos (romántico).

Entre bastidores
El espacio lateral del escenario que no puede ver el público. Allí los bailarines esperan antes de salir a escena.

Para obtener más información y ponerte en contacto con estudios de ballet:

Royal Academy of Dance
http://www.cndanza.mcu.es/

Víctor Ullate Ballet
http://www.victorullateballet.com

Y para representaciones de ballet u otras actuaciones de danza, contacta con la página web de los teatros de tu ciudad.

Índice

Agradecimientos

El editor quiere agradecer a las siguientes personas su ayuda en la producción del libro:

Bailarines: Leah Andreas, Curtis Angus, Helena Clark-Maxwell, Finn Cooke, Moesha Lamptey, Charlotte Levy, Helena Pratt, Kingsley Wong

La West London School of Dance: Kirsty Arnold, Anna du Boisson, Lindsay Jackson

English National Ballet School: Sue Preston

Fotografía: Richard Brown (www.richardbrownphotographer.com)

Royal Ballet: Joshua Tuifua (fotografía), Lauren Cuthbertson, Victoria Hewitt, Jonathan Howells, David Makhateli, Kristen McNally, Samantha Raine (bailarines), Melanie Bouvet (maquillaje), Alisa Woodyard (vestuario)

También: Ann Burke, Vicky Bywater, Claire Cessford, Sheila Clewley, Russell Mclean and Jonathan Williams.

El editor querría también agradecer a estas personas el permitirnos reproducir el material gráfico. Se han tomado todas las medidas necesarias para proteger los copyrights. Sin embargo, si hemos cometido algún error a la hora de asignarlos, rogamos nos disculpen y nos lo hagan saber para remediarlo en futuras ediciones.
Pagina 28 Alamy/Jeremy Hoare; 32 Joshua Tuifua; 40 Corbis/Robbie Jack; 40 Getty/Barron; 41 Getty/AFP; 41 Topfoto/Performing Arts Library; 41 Corbis/Robbie Jack; 41 Corbis/Robbie Jack; 41 Corbis/Robbie Jack; 42-43 todas las imágenes de Joshua Tuifua; 44 Joshua Toifua; 44-45 con el permiso del English National Ballet, Londres; 45 Joshua Tuifua.